ACTION

Dan da dan

Yukinobu Tatsu

Wer Nerds verflucht, meist Ärger sucht

Momo und Okarun gehen auf dieselbe Schule – und das war's mit Gemeinsamkeiten. Oberstufenschönheit Momo glaubt an Geister und hält Aliens für Unfug. Außenseiter Okarun dagegen glaubt felsenfest an Außerirdische und hält Geister für Quatsch. Also wetten sie darum, wer recht hat: Momo soll dazu ein verlassenes Krankenhaus aka Alienversteck aufsuchen, Okarun einen Spuktunnel. Aber was dann passiert, lässt selbst ihre verrücktesten Vorstellungen fantasielos erscheinen.

Auch als E-Book erhältlich!

 CRUNCHYROLL.COM

AYASHIMON

Yuji Kaku

Serie in 3 Bänden abgeschlossen

Gangs of Shinjuku

Maruo ist ein Junge mit unmenschlicher Kraft. Nur blöd, dass ihm das im Alltag nichts als Ärger bringt, weil er alles kaputt macht, was er anfasst. Da treibt ihm das Schicksal Ulala in die Arme: eine Prinzessin der Tokyoter Unterwelt, geschworene Blutfeindin des Syndikats, das ihren Vater auf dem Gewissen hat. Und Maruo ist genau der, den sie für ihre Vendetta braucht. Denn die Tokyoter Unterwelt wird von Monstern regiert und die Kraft ihrer Feinde ist alles andere als menschlich …

Auch als E-book erhältlich!

 CRUNCHYROLL.COM

SPY × FAMILY

Tatsuya Endo

Agent 00-Papa

Sein Name ist Forger. Loid Forger. Deckname: Twilight. Der Auftrag: „Finde eine Familie als Tarnung. Infiltriere die berühmte Eden-Akademie. Verhindere den drohenden Krieg zwischen Ost und West!" Was er nicht ahnt: Seine Adoptivtochter kann Gedanken lesen und seine frischgebackene Ehefrau ist eine Auftragskillerin …?! Uff, diese Familie zu organisieren, ist eine andere Hausnummer als Terrorabwehr und Atombombenentschärfung!

Auch als E-Book erhältlich!

CRUNCHYROLL.COM

Haruichi Furudate

Ass, Ass, Ananas!

Shoyo ist ein Ass am Volleyball-Netz, niemand springt so hoch wie er. Sein großes Talent bringt ihn an die Karasuno-Oberschule, mit deren Team er seinen Traum wahrmachen und es ganz nach oben schaffen könnte. Doch plötzlich steht er seinem größten Kontrahenten gegenüber: dem arroganten Tobio. Das Probespiel hat noch nicht begonnen, da fliegen zwischen den beiden schon die Fetzen und sie werden kurzerhand vor die Tür gesetzt. Wer kein Teamplayer ist, fliegt eben raus!

Der Manga zum Anime-Hit!

CRUNCHYROLL.COM

BLUE LOCK
© 2021 Muneyuki Kaneshiro, Yusuke Nomura
All rights reserved.
First published in Japan in 2021 by Kodansha Ltd., Tokyo.
Publication rights for this German edition arranged through
Kodansha Ltd., Tokyo.

Deutschsprachige Ausgabe / German Edition
© 2023 Crunchyroll SA
CH-1007 Lausanne
1. Auflage

Aus dem Japanischen von Markus Lange

Programmleitung: Hideki Iyama / Lizenzkoordination: Ai Kono
Redaktion: Katharina Altreuther / Herstellung: Sonja Lesch
Deutsche Logo- und Covergestaltung: Jessy Knipprath
Lettering: Paolo Gattone, Chiara Antonelli
Druck und Bindung: GGP Media GmbH, Pößneck

Alle deutschen Rechte vorbehalten
ISBN 978-2-88951-787-9

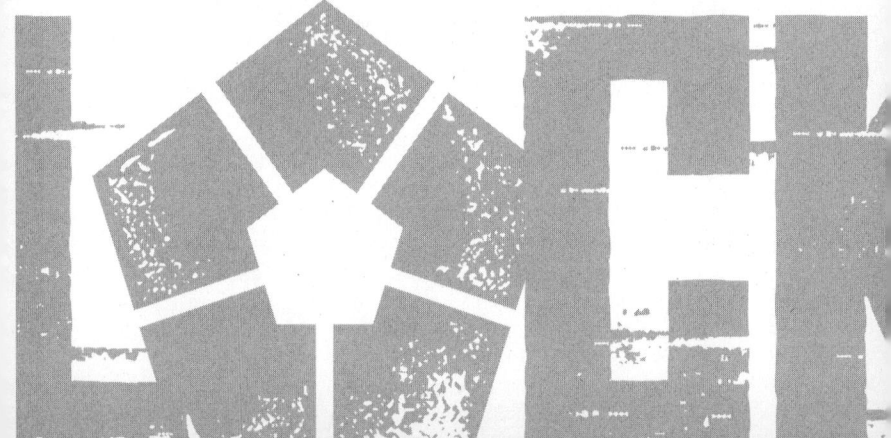

● Story	Muneyuki Kaneshiro
● Artwork	Yusuke Nomura
● Assistenten	Takaniwa Ayazuka Otake Hara Harada Muto Kawai Sato (zufällige Reihenfolge)
● Design	Hisamochi Osoko (hive)

Vielen Dank, dass du Band 13 gekauft hast!
Seit ich von zu Hause aus arbeite, ist mein Hintern
förmlich mit dem Stuhl verwachsen. Es ist an der Zeit,
dass Godhand mir zu Hilfe kommt!

NOCH MAL, WORAUF SOLLTEN WIR HEUTE BESONDERS ACHTEN, HARUTARO?

WIE GESAGT, ICH FINDE, AUF SAE ITOSHI UND SEIN SPIEL! DARAUF LÄUFT ALLES HINAUS! UND DANN NOCH AUF DEN KAPITÄN DER U-20, AIKU! SEIN VATER IST SCHWEDISCHER UND DEUTSCHER ABSTAMMUNG, SEINE MUTTER JAPANERIN. ER IST ALSO QUASI EIN VERTEIDIGER VON WELT! ICH DENKE, SEINE KÖRPERLICHEN FÄHIGKEITEN SIND AUSSERHALB JEDER NORM! UND ICH **HABE GEHÖRT, DASS ER SCHARFES ESSEN MAG!** SCHARFE RAMEN, ZUM BEISPIEL!

VIELEN DANK! DAS SPIEL WIRD IN KÜRZE ...

UND DANN NOCH SENDOU, DIE STURMSPITZE! ER WAR IN SEINEN BISHERIGEN AUFTRITTEN FÜR DIE NATIONALMANNSCHAFT DER TOPTORSCHÜTZE DES TEAMS! ER SIEHT AUCH ZIEMLICH GUT AUS UND SEINE BELIEBTHEIT STEIGT ANSCHEINEND RASANT! **ER SOLL ZUDEM EINE FROSTBEULE SEIN** UND MIT EINEM NIERENWÄRMER SCHLAFEN!

VIELEN DANK! DAS SPIEL WIRD IN KÜRZE ...

ÜBRIGENS SAGT DER LINKSVERTEIDIGER DARAI, DASS ER KEINE TATTOOS TRAGE, SONDERN BODYPAINT! ER MAG NÄMLICH ÖFFENTLICHE BADEHÄUSER*! UND NIOU SOLL JEDEN TAG EINE STUNDE FÜR DIE PFLEGE SEINES KINNBARTS AUFWENDEN! UND NERU IST IN DER ERSTEN WOCHE AUS DEM BETT GEFALLEN, WEIL ER SO UNRUHIG SCHLÄFT! **UND ÜBRIGENS ...**

DAS SPIEL WIRD IN KÜRZE ANGEPFIFFEN!

* IN VIELEN JAPANISCHEN BADEHÄUSERN WIRD TÄTOWIERTEN KUNDEN KEIN ZUTRITT GEWÄHRT, WEIL TATTOOS SEIT JEHER MIT DEN YAKUZA ASSOZIIERT WERDEN.

DAS SIND FAST ALLES NAMENLOSE SPIELER!

Blue-Lock-Aufstellung

Rin Itoshi
Kenyu Yukimiya
Eita Otoya
Seishiro Nagi
Yoichi Isagi
Tabito Karasu
Meguru Bachira
Hyoma Chigiri
Ikki Niko
Jyubei Aryu
Gin Gagamaru

4-5-1

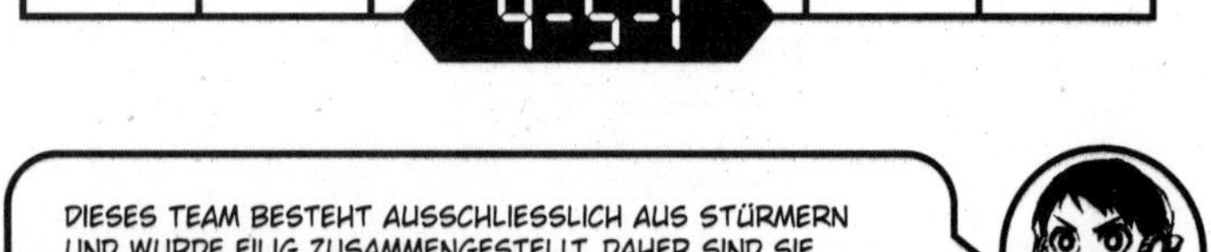

DIESES TEAM BESTEHT AUSSCHLIESSLICH AUS STÜRMERN UND WURDE EILIG ZUSAMMENGESTELLT, DAHER SIND SIE ALLE UNBEKANNTE GRÖSSEN!

 FORTSETZUNG AUF DER NÄCHSTEN SEITE!

FUSSBALLEXPERTE MIT LEIB UND SEELE

U-20 VS. BLUE LOCK

HARUTARO NATSUKI KURZ VOR DEM SPIEL! DIE MINI-SPIELERINFO-ECKE!

U-20-Aufstellung

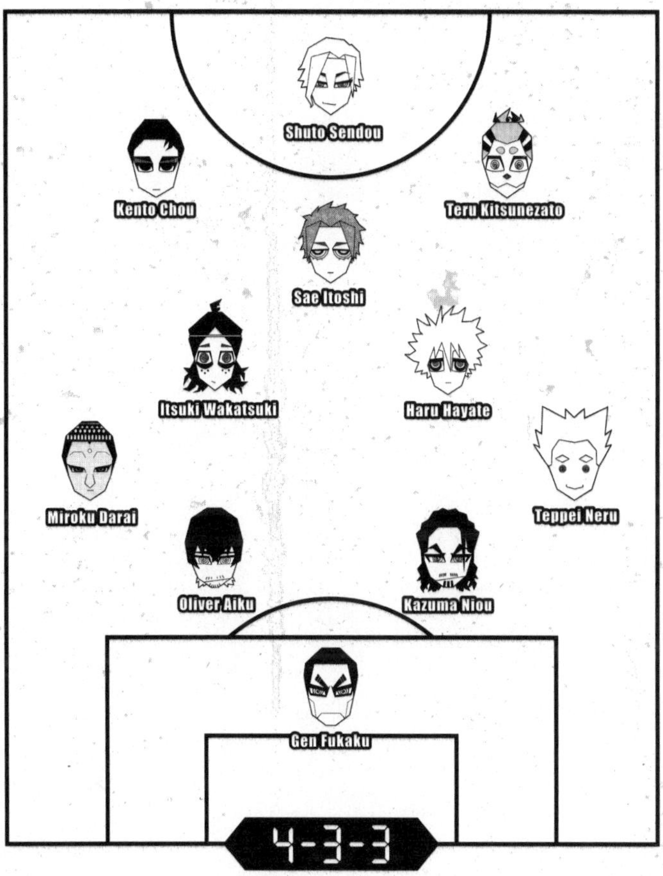

- Shuto Sendou
- Kento Chou
- Teru Kitsunezato
- Sae Itoshi
- Itsuki Wakatsuki
- Haru Hayate
- Miroku Darai
- Teppei Neru
- Oliver Aiku
- Kazuma Niou
- Gen Fukaku

4-3-3

ICH BIN GESPANNT, WIE DAS TEAM MIT SAE ITOSHI IM ZENTRUM SPIELEN WIRD!

EXPERTE HARUTARO NATSUKI

DAS HAUPTAUGENMERK LIEGT AUF DER UNDURCHDRINGLICHEN ABWEHRREIHE!

KOMMENTATOR ATSUTO TEREASA

... DIE JAPANISCHE U-20-NATIONALMANNSCHAFT!

DAS IST ALSO ...

OOH, ALLE DA.

... EIN VOLLENDETES TEAM ZU BILDEN.

MIT DEM EINZIGEN ZIEL, DIESES SPIEL ZU GEWINNEN, ...

... HABT IHR ES IN DEN VERGANGENEN ZWEI WOCHEN GESCHAFFT, ...

DIE WELT KENNT EUCH NOCH NICHT.

FINDET IHR NICHT, DASS DIES DIE GRÖSSTMÖGLICHE BÜHNE IST?

ÄNDERT IN DIESEN 90 MINUTEN ...

... EUER SCHICKSAL.

... IST ES DER GEDANKE: „WAS BRINGT SAE ITOSHI IN DIE AKTUELLE U-20 EIN?"

SOZUSAGEN ...

DAS RESTLICHE PROZENT IST WOHL DER PFLICHTBEWUSSTE KAPITÄN IN MIR.

DIESE GELDGEILEN ERWACHSENEN KANN ICH AUCH NICHT LEIDEN.

... MEIN PERSÖNLICHER BEWEGGRUND.

...

EIN EIGENSINNIGER KAPITÄN, WAS?

INTERESSANT.

VERSTEH MICH NICHT FALSCH.

HAST JA DOCH EINE CHARMANTE SEITE.

OH, DANKE!

ICH LASS MICH DRAUF EIN.

EINE SOLCH PASSIVE TRANCE NENNE ICH NICHT EGO.

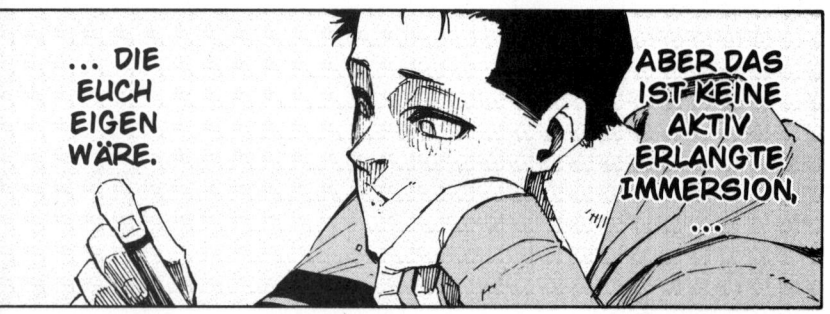

„ES ZEIGT DIE BALANCE ZWISCHEN HERAUSFORDERUNG UND FÄHIGKEITEN, ..."

Herausforderungsniveau — (hoch)
(niedrig)

Unsicherheit

Flow-Zustand

Langeweile

(niedrig) ← Fähigkeitenniveau → (hoch)

„... DIE NÖTIG IST, UM IN DEN FLOW ZU GELANGEN."

„TJA, KURZUM, ..."

„WENN DIE HERAUSFORDERUNG NIEDRIGER ALS DIE EIGENEN FÄHIGKEITEN IST, ..."

„... FINDET MAN KEINE FREUDE DARAN UND LANGWEILT SICH."

Lv.20 vs Lv.1

„ÜBERSTEIGT DAS ANVISIERTE ZIEL DIE FÄHIGKEITEN HINGEGEN BEI WEITEM, ..."

„GLAUBT MAN NICHT AN SEINE ERFOLGSCHANCEN, VERLIERT DIE KONZENTRATION UND WIRD UNSICHER."

Lv.50 vs Lv.20

„... IN GELANGWEILTEM ODER VERUNSICHERTEM ZUSTAND KÖNNEN MENSCHEN KEINE FREUDE EMPFINDEN."

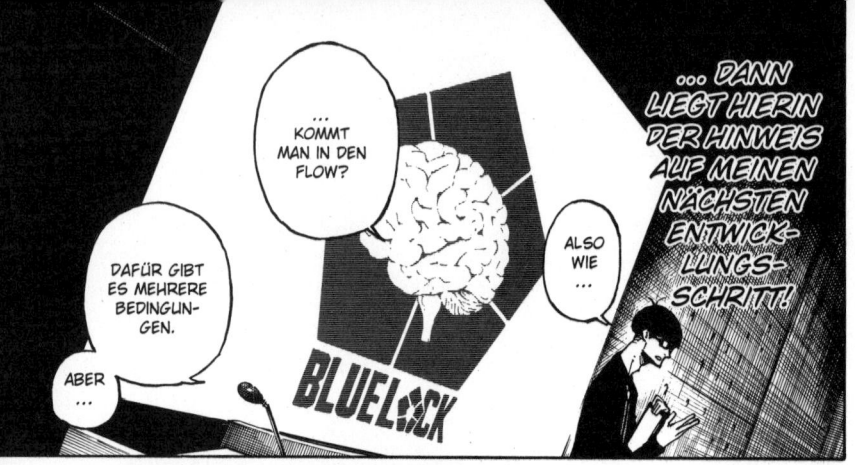

... DANN LIEGT HIER IN DER HINWEIS AUF MEINEN NÄCHSTEN ENTWICKLUNGSSCHRITT!

... KOMMT MAN IN DEN FLOW?

ALSO WIE ...

DAFÜR GIBT ES MEHRERE BEDINGUNGEN.

ABER ...

... DIE, DIE ICH AM GENAUESTEN DEFINIEREN MÖCHTE, ...

... IST DIE „HERAUSFORDERNDE KONZENTRATION".

SEHT EUCH DIESES DIAGRAMM AN.

DAS BEDEUTET IM GRUNDE: „AUF EIN ZIEL MIT MÄSSIGER SCHWIERIGKEIT HINARBEITEN".

PROGRAMMIEREN, BERGSTEIGEN, MUSIKALISCHE DARBIETUNGEN, ANDERE KÜNSTLERISCHE AKTIVITÄTEN UND SO WEITER, ...

EIN PROFESSIONELLER SHOGI-SPIELER KANN DAS ZUM BEISPIEL WÄHREND EINER PARTIE ERLEBEN, ...

ODER EIN TEILZEITARBEITER BEIM KASSIEREN.

... ES KANN UNABHÄNGIG VOM UMFANG DER AKTIVITÄT IN DER WAHRNEHMUNG JEDES EINZELNEN AUFTRETEN.

ERINNERT EUCH ZURÜCK.

ALS IHR BEI BLUE LOCK EURE SCHUTZPANZER DURCHBROCHEN HABT, ...

AUCH SPORT, ...

... UND DAMIT FUSSBALL, ...

... BILDET DABEI KEINE AUSNAHME.

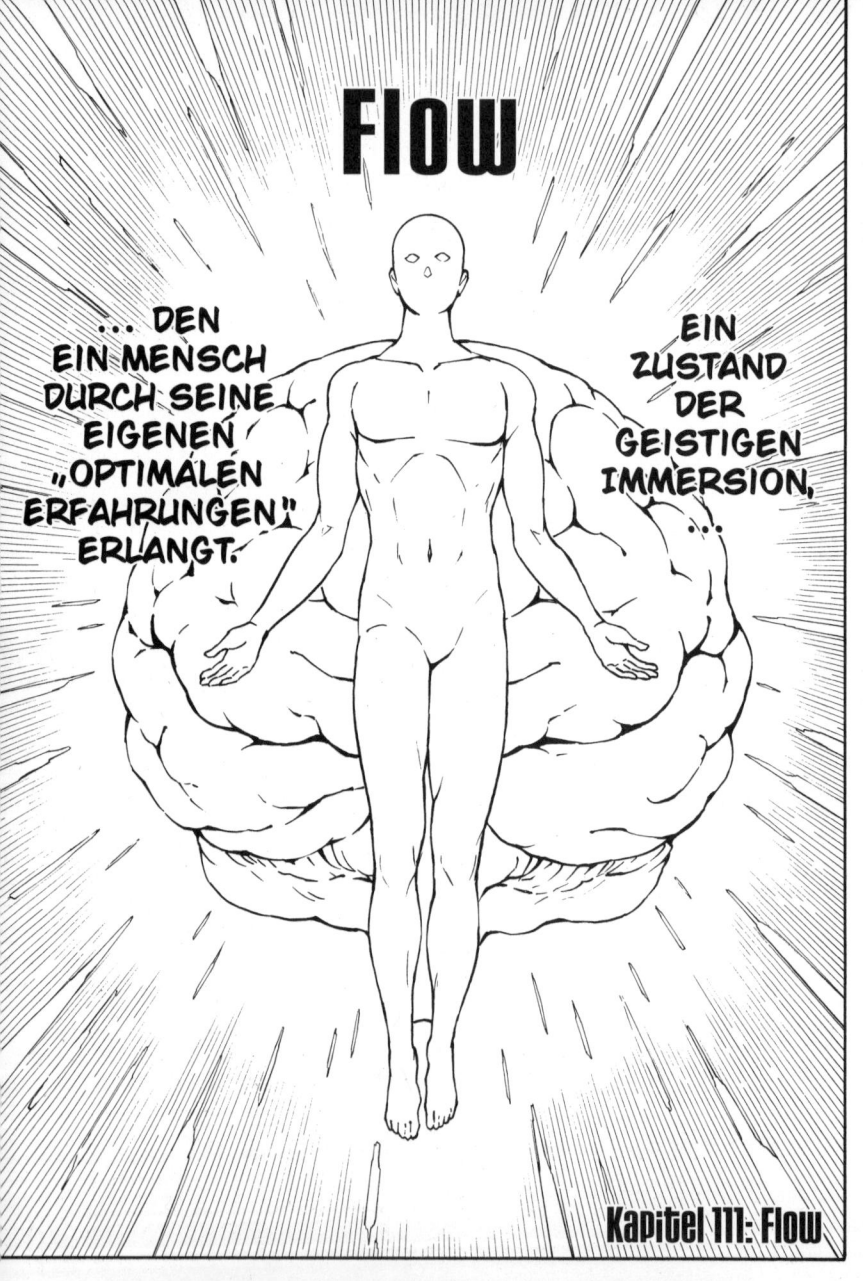

KLAPPE.

WIE NACHLÄSSIG.

DEN BLICK HAB ICH BEI RIN NOCH NIE ZUVOR GESEHEN.

ICH WILL MIT IHM ZUSAMMEN GEWINNEN.

Ding Dang Dong!

Wir beginnen jetzt mit der Nachmittagseinheit.

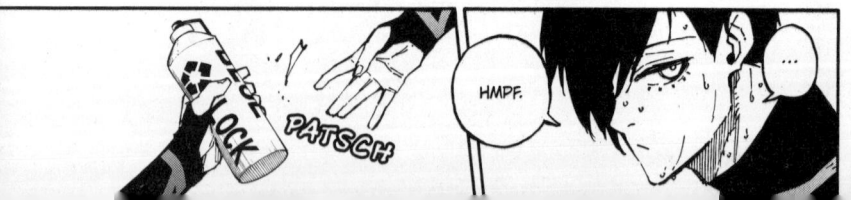

HEY ...

WAS?

GEHT MIR MÖGLICHST NICHT AUF DEN SACK.

DAS IST ALLES.

RATACK

!

KRASSES SELBSTVERTRAUEN ...

HA HA.

KOMM MAL WIEDER RUNTER, MR GENIE.

ICH BIN STAMMSPIELER IN DER ERSTEN JAPANISCHEN LIGA.

DU WIRST VIELLEICHT INTERNATIONAL GEFEIERT, ABER LETZTENDLICH BIST DU DOCH NUR AUF ZWEITLIGANIVEAU, ODER?

ALSO HALT DICH ZURÜCK.

DENN IM MOMENT STEHE ICH ÜBER DIR.

U-20 Nationalmannschaft IST SHUTO SENDOU

Nr. 4 EITA OTOYA

ICH BIN VIELMEHR SCHON HEISS.

SO IS ES.

WER JETZT WEGEN SO WAS SCHISS KRIEGT, IST MITTELMASS.

ICH FREU MICH DRAUF.

Nr. 5 KENYU YUKIMIYA

Nr. 3 TABITO KARASU

Nr. 6 SEISHIRO NAGI

JA.

ICH WILL ENDLICH SPIELEN.

ICH ... WIR VON BLUE LOCK WERDEN ...

SIE HABEN RECHT.

ALS STAMMSPIELER AUSGEWÄHLT ZU WERDEN, IST NICHT DAS ENDZIEL!

YOICHI ISAGI

RINS SPIELSTIL ...

NA JA, LETZTEN ENDES ...

... BEZIEHT SEIN UMFELD MIT EIN UND ERZIELT SYNERGIE-EFFEKTE MIT IHM.

... ZWISCHEN TEAM RIN ITOSHI UND TEAM RYUSEI SHIDOU.

... EXISTIERTE FÜR DIE BLUE-LOCK-ELF IN MEINEM KOPF IMMER NUR DIE WAHL ...

SIE MÖGEN BEIDE ÄHNLICHE INDIVIDUELLE FÄHIGKEITEN BESITZEN, ABER MIT DIESEN ZWEI EGOISTEN UNTERSCHIEDLICHER NATUR VOR AUGEN ...

RYUSEI HINGEGEN VERBINDET SICH AKTUELL MIT ABSOLUT NIEMANDEM.

SEIN STIL IST AUTARK.

WER VON UNS RICHTIG GEWÄHLT HAT, ...

... UND SAE ITOSHI FÜR RYUSEI SHIDOU.

... ENTSCHIED ICH MICH FÜR RIN ITOSHI ...

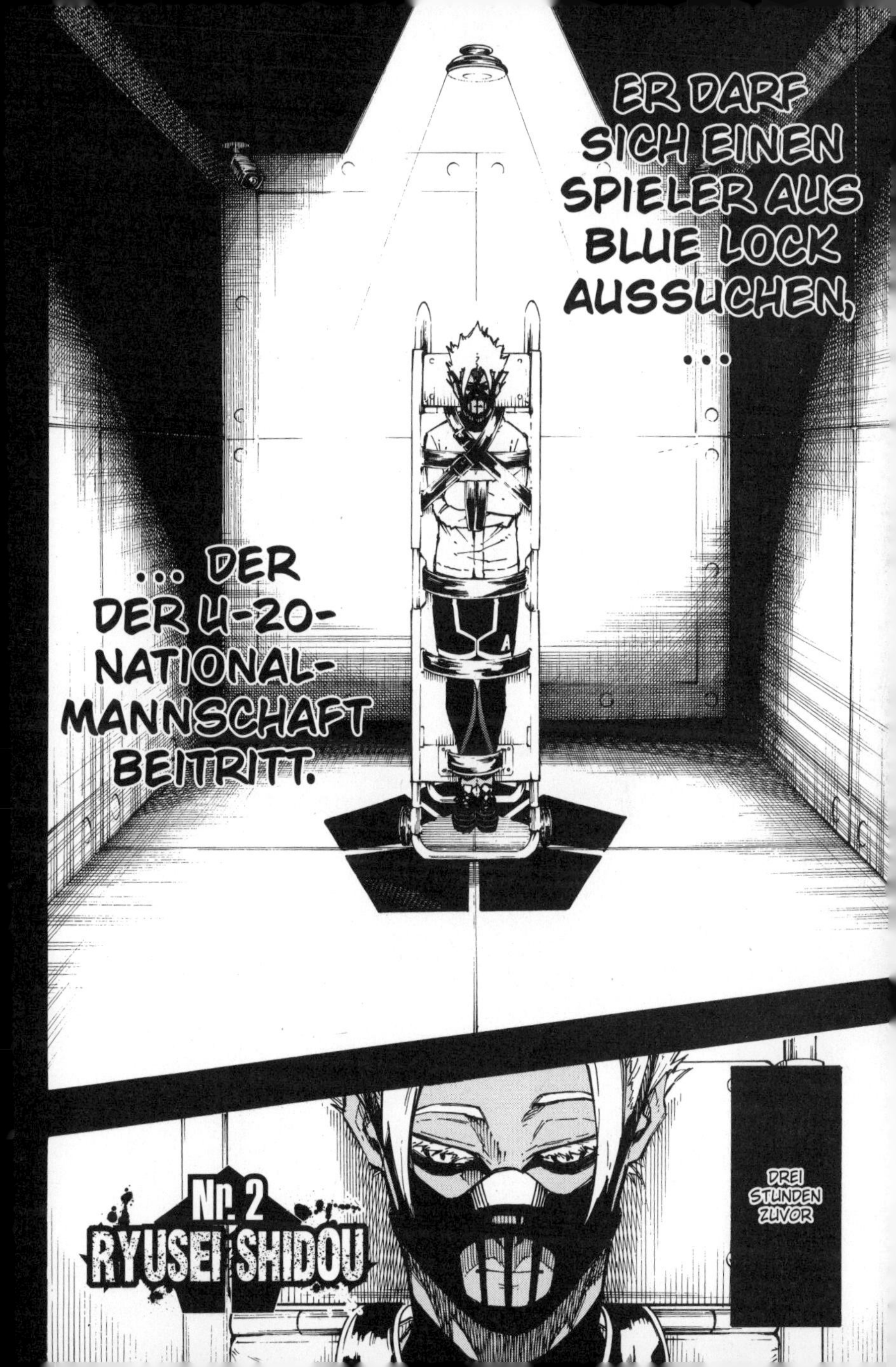

Keine Chemie

... IM ZUSAMMEN-SPIEL MIT RIN ITOSHI ...

... KEINE EINZIGE CHEMISCHE REAKTION AUSGELÖST.

WÜRDE ER SO ETWAS IM SPIEL GEGEN DIE U-20 MACHEN, WÜRDE ER EINE ROTE KARTE SEHEN UND UNS EINEN ÜBERWÄLTIGENDEN NACHTEIL BESCHEREN.

UND DIE TÄTLICHKEIT UNMITTELBAR NACH DEM ENDE DER DRITTEN AUSWAHL ...

... HABE ICH BESCHLOSSEN, DASS RIN ITOSHI UND RYUSEI SHIDOU NICHT GEMEINSAM AUF DEM PLATZ STEHEN SOLLTEN.

AUS DIESEN GRÜNDEN ...

OM
Yoichi Isagi

OM YOICHI ISAGI

... YOICHI ISAGI.

JA!

MNH.

Dritte Auswahl, Bereitschaftsraum

DA BIS ZUM DRITTEN SPIEL NOCH ZEIT WAR, HAB ICH MICH HINGELEGT, ...

... ABER SO LANGSAM SOLLTE ANPFIFF SEIN.

AH ... WIE SPÄT IST ES?

GUCK

GUCK

...

AH.

DU BIST WACH?

!

HÄ ... WAS?

„BESTER STÜRMER DER WELT".

„WELT-MEISTER".

ICH BIN SICHER, DASS DIESE JUNGS ...

... DAVON ABGESEHEN NICHTS BRAUCHEN.

NEIN ... DAS IST DAS EINZIGE, ...

UN-FASSBARE IDIOTEN.

SIE SIND ...

... DAS IHR BLUT IN WALLUNG BRINGT.

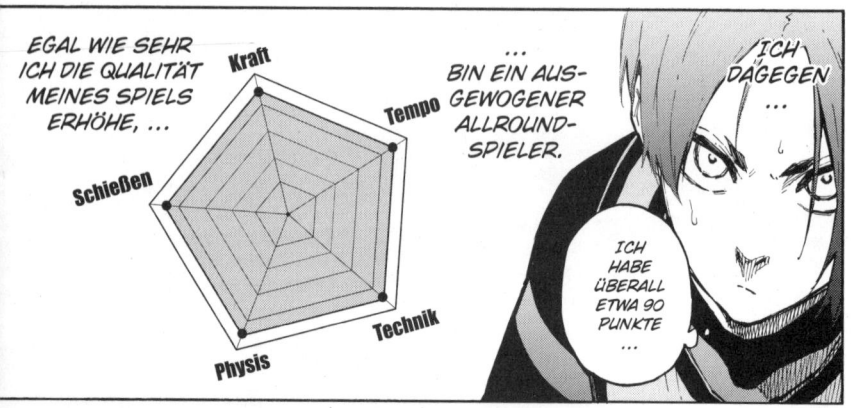

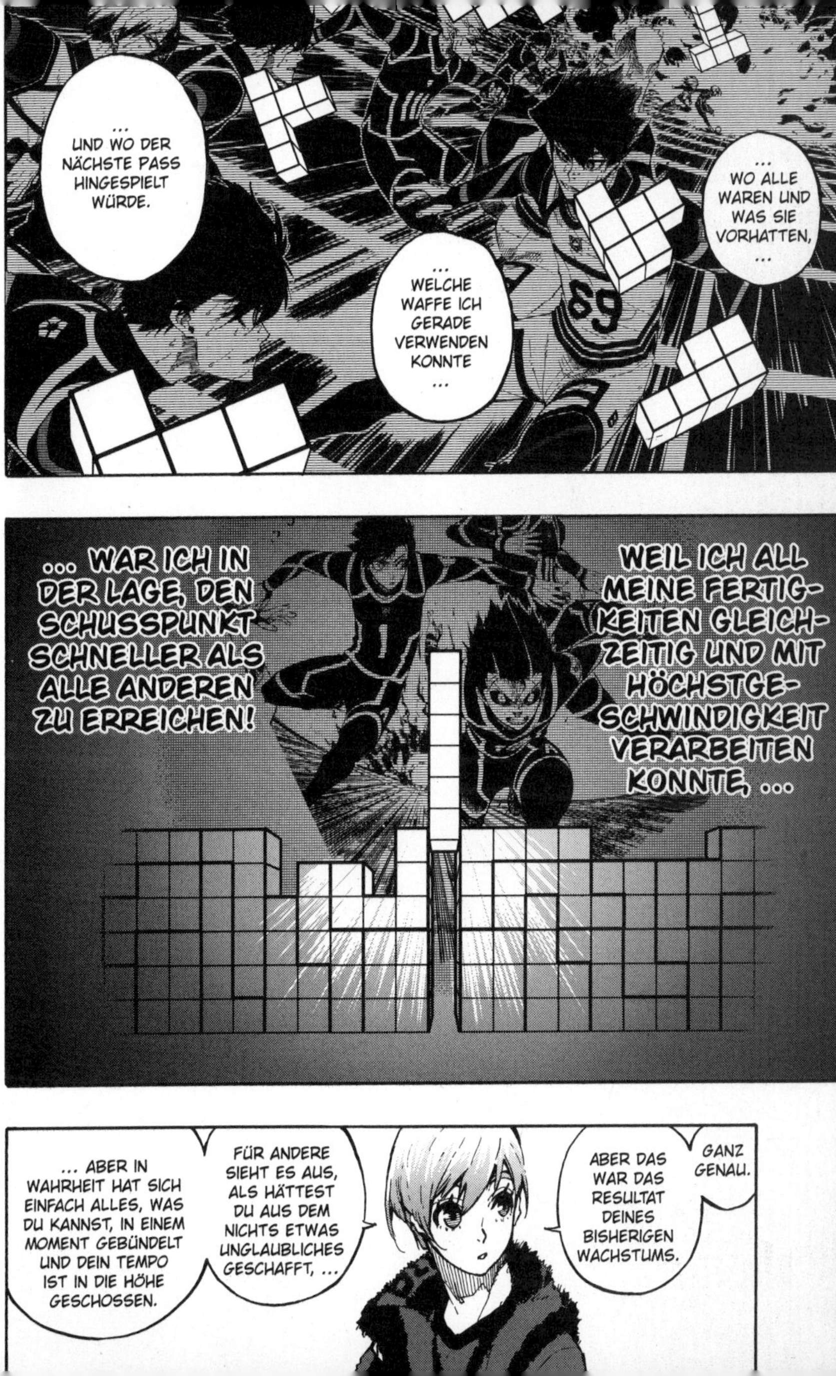

... WO ALLE WAREN UND WAS SIE VORHATTEN, ...

... WELCHE WAFFE ICH GERADE VERWENDEN KONNTE ...

... UND WO DER NÄCHSTE PASS HINGESPIELT WÜRDE.

WEIL ICH ALL MEINE FERTIGKEITEN GLEICHZEITIG UND MIT HÖCHSTGESCHWINDIGKEIT VERARBEITEN KONNTE, ...

... WAR ICH IN DER LAGE, DEN SCHUSSPUNKT SCHNELLER ALS ALLE ANDEREN ZU ERREICHEN!

GANZ GENAU.

ABER DAS WAR DAS RESULTAT DEINES BISHERIGEN WACHSTUMS.

FÜR ANDERE SIEHT ES AUS, ALS HÄTTEST DU AUS DEM NICHTS ETWAS UNGLAUBLICHES GESCHAFFT, ...

... ABER IN WAHRHEIT HAT SICH EINFACH ALLES, WAS DU KANNST, IN EINEM MOMENT GEBÜNDELT UND DEIN TEMPO IST IN DIE HÖHE GESCHOSSEN.

WOAH! ECHT WAHNSINN!

ICH BIN ZU GUTER LETZT AN IHNEN VORBEIGESCHOSSEN, ...

DAS WAR ALSO ALLES SO EINE INTUITIONSSACHE?!

... UND HAB DABEI VERMIEDEN, ZWISCHEN SIE ZU GERATEN.

ICH WAR AUCH ÜBERRASCHT, DASS DU DEN REINGEMACHT HAST, YOICHI.

HEPP!

JA, GENAU.

ICH GLAUB, DAS WAR DAS ERSTE MAL, DASS ICH MICH SO KOMPLEX BEWEGT HAB.

DEN EIGENEN SPIELZUG NOCH MAL ANZUSCHAUEN UND ZU ANALYSIEREN, WIE DU ES JETZT TUST, IST ECHT SUPERWICHTIG.

YO HIORI

ICH DACHTE, DASS RIN ODER RYUSEI MEINEN PASS NUTZEN WÜRDEN.

Monitorraum

BEI DER TORSZENE...

...HAB ICH ZUERST DIE ANDERE RICHTUNG ANGETÄUSCHT...

...UND BIN DANN MIT EINEM SCHRITT...

...IN DEN RÜCKEN VON TABITO GELAUFEN.

SO BIN ICH IN EITAS UND RINS TOTEN WINKEL GESCHLICHEN UND...

HIER! ICH!

FRAGE!

HATTEST DU DIR ZU DIESEM ZEITPUNKT SCHON ALLES IM KOPF ZURECHTGELEGT?

NEIN. WIE SOLL ICH SAGEN...

ES WAR, ALS LIEFEN MEINE GEDANKEN UND BEWEGUNGEN GLEICHZEITIG AB.

Inhalt

Kapitel	Titel	Seite
104	Trance	007
105	5 × 6	027
106	Chamäleon	047
107	Alle Partien abgeschlossen	067
108	Top Elf	087
109	Kampfverband	107
110	Neuling	127
111	Flow	147
112	Große Bühne	167

Meguru Bachira
Ein freigeistiger Stürmer mit überragender Technik.

Reo Mikage
Seishiros ehemaliger Partner. Ist in einem Formtief.

Hyoma Chigiri
Ein überwältigend schneller Stürmer.

Als Nächstes bin ich an der Reihe! Ich werde mich beweisen und einen Platz in der Blue-Lock-Elf erobern!

Danach wartet die von Sae Itoshi angeführte U-20-Nationalmannschaft!

Sae Itoshi
Rins großer Bruder. Ein international hoch gehandeltes Mittelfeldgenie. Wurde in die U-20 berufen.

Anri Teieri
Ein neues Mitglied der Japan Football Union und die einzige Frau unter den Managern.

Jinpachi Ego
Ein mysteriöser „Egoistencoach", der angeheuert wurde, um Japan zum WM-Titel zu führen.

BLUE L✪CK 13

TEXT: muneyuki kaneshiro × **ZEICHNUNGEN:** yusuke nomura

★Dieses Werk ist Fiktion. Ähnlichkeiten zu real existierenden Personen,
 Gruppen und Vorfällen sind rein zufällig und nicht beabsichtigt.

Muneyuki Kaneshiro

Sich Namen für die Figuren auszudenken macht Spaß. „Ah, klingt cool. Aber passt nicht so ganz, oder? Nein, das ist es." Und wenn man sie dann hinterher noch mal liest, hat man lauter komische Namen. Lustig.

Yusuke Nomura

Seit etwa einem Jahr arbeite ich vollzeit im Home Office. Mittlerweile verstehe ich die Jungs so ein bisschen. Ich … will raus!

★Dieses Werk ist Fiktion. Ähnlichkeiten zu real existierenden Personen, Gruppen und Vorfällen sind rein zufällig und nicht beabsichtigt.

Muneyuki Kaneshiro

Sich Namen für die Figuren auszudenken macht Spaß. „Ah, klingt cool. Aber passt nicht so ganz, oder? Nein, das ist es." Und wenn man sie dann hinterher noch mal liest, hat man lauter komische Namen. Lustig.

Yusuke Nomura

Seit etwa einem Jahr arbeite ich vollzeit im Home Office. Mittlerweile verstehe ich die Jungs so ein bisschen. Ich … will raus!